SALLY AND SPANISH DA

A story with Music and Narration

by Kevin Rh. John

with Artwork by Heather May Williams

SALI A'R DDAWNSWRAIG SBAENAIDD

Stori gyda Cherddoriaeth a Thraethiad

Gan Kevin Rh. John

gyda Darluniau gan Heather May Williams

First published 2023
by Rowanvale Books Ltd
The Gate
Keppoch Street
Roath
Cardiff
CF24 3JW
www.rowanvalebooks.com

A CIP catalogue record for this book is available from the British Library.
ISBN: 978-1-914422-51-5

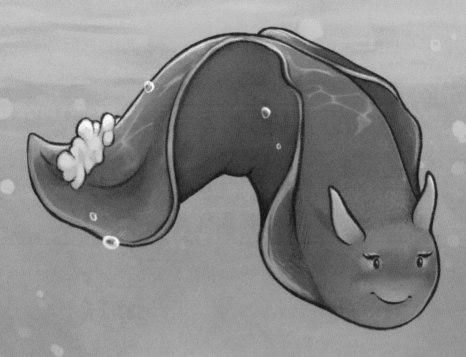

Dedications:

To my wife, Liz, for all her continuing support, and all of my
family and friends who have supported me in the production of
this, my second, storybook for Children.
Also to David Kipling & Sarah Bowen, for giving me the
inspiration for this story by telling me of their diving adventures.

Cyflwyniadau:

I'm gwraig, Liz am ei chefnogaeth parhaol, a'm holl deulu
a ffrindiau sydd wedi fy nghefnogi yn y cynhyrchiad hwn
o fy ail lyfr ar gyfer Plant.

Hefyd i David Kipling & Sarah Bowen, am roi
ysbrydoliaeth i mi ar gyfer y stori hon wrth son am eu
hanturiaethau plymio.

When we look at the sea, we may see the waves, some seaweed and some Seagulls. If we look out far enough, we can see where the sea meets the sky at the horizon. However, under the surface of the sea, a whole different world is hiding from us. You might know about some of the Fishes and the Dolphins and Whales, but there are many, many more creatures that most of us have never seen or even heard of. Some live on the ocean floor. Some swim so fast they can even jump out of the waves. Some spend their whole lives stuck to a rock.

Let me introduce you to Sally. Sally is quite young and looks like a see-through jelly bean.

To say that Sally swims in the sea would not be exactly accurate. To move around, Sally has to swallow water through her mouth and blow it out gently to push her in the direction she wants to go.

Pan edrychwn ar y môr efallai y gwelwn donnau, ychydig o wymon a rhai gwylanod. Os edrychwn yn ddigon pell gallwn weld ble mae'r môr yn cwrdd â'r awyr ar y gorwel. Ond, o dan wyneb y môr mae byd hollol wahanol yn cuddio oddi wrthym. Efallai eich bod yn gwybod am rai o'r Pysgod a'r Dolffiniaid a'r Morfilod, ond mae na lawer, llawer mwy o greaduriaid yno nad ydyn ni erioed wedi eu gweld na chlywed amdanyn nhw. Mae rhai yn byw ar wely'r môr. Mae rhai yn nofio mor gyflym nes eu bod hyd yn oed yn gallu neidio allan o'r tonnau. Mae eraill yn treulio eu bywyd yn sownd i graig.

Gadewch i fi eich cyflwyno i Sali. Mae Sali yn eithaf ifanc ac mae'n edrych fel ffeuen jeli dryloyw.

Mae dweud bod Sali yn nofio yn y môr ddim yn hollol gywir. I symud o gwmpas mae'n rhaid i Sali lyncu dŵr drwy ei cheg ac yna ei chwythu allan yn ofalus er mwyn ei gwthio i'r cyfeiriad mae am fynd ynddo.

Sally is not a fast mover! The fish will usually whizz by, ignoring her.

Other slow-moving creatures can be quite graceful, such as Turtles and Jellyfish.

Occasionally, a graceful Whale will swim by. Sally really enjoys watching these majestic animals. She has to be careful, though, because sometimes they come to the surface of the sea and blow air out of their blowholes. This creates a stir in the sea that makes Sally bobble around out of control... a very disturbing experience!

One day, Sally met with her friend, a Sea Squirt called Great Aunt Nellie. Great Aunt Nellie lived attached to a piece of coral. Older Sea Squirts will always settle down on or near the sea floor. She enjoyed meeting any youngsters that would listen, and she'd pass on much wisdom and many stories about the things she had seen and heard.

Dydy Sali ddim yn symud yn gyflym iawn! Fel arfer mae'r pysgod yn gwibio heibio iddi, ac yn ei hanwybyddu.

Gall creaduriaid eraill fel y Môr - Grwbanod a'r Sglefrod - Môr sy'n symud yn araf fod yn osgeiddig iawn.

Weithiau, bydd Morfil yn nofio heibio. Mae Sali wrth ei bodd yn gwylio yr anifeiliaid urddasol hyn. Ond mae'n rhaid iddi fod yn ofalus, achos o dro i dro maent yn dod i wyneb y dŵr ac yn gwthio'r aer allan drwy eu tyllau chwythu. Mae hyn yn cynhyrfu'r môr nes bod Sali yn bownsio o gwmpas allan o bob rheolaeth...profiad anymunol iawn!

Un diwrnod, fe wnaeth Sali gyfarfod â'i ffrind, sef Chwistrell Fôr o'r enw Hen Fodryb Neli. Roedd Hen Fodryb Neli yn byw yn sownd wrth ddarn o gorawl. Mae Chwistrellod - Môr hŷn bob amser yn setlo ar neu yn agos i wely'r môr. Byddai yn mwynhau cyfarfod unrhyw bysgod ifanc a fyddai'n gwrando arni gan rannu ei doethineb a nifer o storïau am beth oedd wedi gweld a chlywed.

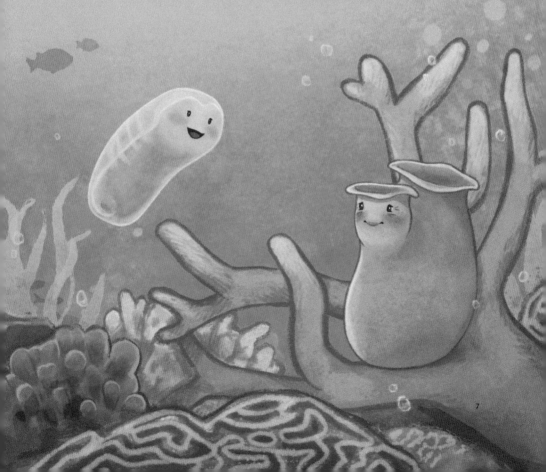

7

Sally listened, all wide-eyed, to the wise, old Sea Squirt as she was told about how the waters were getting warmer and warmer. This meant that many sea creatures that she had never seen before were now swimming in the sea where Sally lived.

Great Aunt Nellie also told her about strange stuff that looked like seaweed but could make creatures very ill if they ate it. It could even trap creatures so they couldn't move...Humans called it PLASTIC.

When Great Aunt Nellie had stopped talking, Sally saw something red out of the corner of her eye, waving in the water. What was that?

There it was again! Quite distracted, Sally tried to get a better look at the new, red... what-ever-it-was.

Sally looked at Great Aunt Nellie, and Great Aunt Nellie looked back at Sally. Then they both looked at the red creature, with wide eyes.

Byddai Sali yn gwrando yn gegrwth ar yr hen Chwistrell Fôr ddoeth wrth iddi son am fel y mae'r dyfroedd yn cynhesu a chynhesu. Golygai hyn bod llawer o greaduriaid môr, nad oedd erioed wedi eu gweld o'r blaen, yn nofio lle 'roedd Sali yn byw.

Byddai Hen Fodryb Neli hefyd yn son wrthi am y stwff rhyfedd oedd yn edrych fel gwymon ac yn gallu gwneud creaduriaid yn sal iawn ar ôl ei fwyta. Gallai hyd yn oed ddal creaduriaid nes eu bod yn methu symud...mae pobl yn ei alw yn PLASTIG.

Pan oedd Hen Fodryb Neli wedi stopio siarad, gwelodd Sali, drwy gornel ei llygad, rhywbeth coch yn cwhwfan yn y dŵr.

Beth oedd hwnna?

Dyna fe eto! 'Roedd wedi dal sylw Sali a cheisiodd gael gwell golwg ar...ta beth oedd y peth coch newydd.

Edrychodd Sali ar hen Fodryb Neli ac edrychodd Hen Fodryb Neli 'nôl ar Sali. Yna edrychodd y ddwy gyda llygaid mawr ar y creadur coch.

"Um...er, hello," said Sally.

"Hola!" said the creature. "Do you like my dancing?"

Sally was still very surprised and did not know what to say.

Great Aunt Nellie replied, "Oh yes, your dancing is lovely. In fact, it is quite beautiful."

The red creature wiggled proudly and said, "I am dancing the flamenco, as I am Juanita, a Spanish Dancer. I normally live a long way south, but the water there is getting too warm, so I decided to move to cooler waters."

"Oh," said Sally, "we were just talking about that! But we didn't expect to have visitors this soon."

Sally and Great Aunt Nellie introduced themselves, and Juanita invited them to join in a dance.

A day went by, and then another, while Juanita told Sally about her home and her friends in the sea far away.

"Ym...y, helo," meddai Sali.

"Hola!" meddai'r creadur. Wyt ti yn hoffi fy nawnsio?"

Atebodd Hen Fodryb Neli,"O ydyn, mae dy ddawnsio yn fendigedig. A dweud y gwir mae'n hollol ogoneddus."

Wiglodd y creadur yn falch gan ddweud,"'rwy'n dawnsio Fflamenco a fi yw Juanita, ddawnswraig Sbaenaidd. Fel arfer 'rwy'n byw ym mhell i ffwrdd yn y De ond mae'r dŵr yno yn mynd yn rhy gynnes ac felly penderfynais symud i ddyfroedd oerach."

"O,"meddai Sali,"ni newydd siarad am hyn! Ond 'doedden ni ddim yn disgwyl cael ymwelwyr mor gloi."

Cyflwynodd Sali a Hen Fodryb Neli ei hunain a gwahoddodd Juanita nhw i ymuno yn y ddawns.

Aeth diwrnod heibio...ac un arall, tra bo Juanita yn dweud wrth Sali am ei chartref a'i ffrindiau yn y môr pell.

11

Sally tried to learn Juanita's dance. It was really quite tricky.

After a few days, Juanita had to dance away to find somewhere she could make a new home for herself.

A few days later, the sun was shining down through the water. It was a great day to play. Now that Juanita was not around, Sally had to find someone else to play with. From the corner of her eye, she saw the sun's rays glinting on what looked like a long, wavy creature coming in her direction. It looked really beautiful and was making waves in the sea's current. Sally had never seen this creature before, but as it came closer, she thought it looked familiar. She felt that she should know what it was, but she didn't know why.

The creature saw Sally and asked her to join in. It explained that it was not just one creature, but a lot of individual creatures just like Sally. Together, they could join up in a chain.

Ceisiodd Sali ddysgu dawns Juanita. 'Roedd yn wirioneddol anodd.

Ar ôl rhai diwrnodau bu rhaid i Juanita ddawnsio i ffwrdd i chwilio am rywle i wneud ei chartref newydd ynddo.

Rhai diwrnodau yn hwyrach, 'roedd yr haul yn tywynnu lawr drwy'r dŵr. 'Roedd yn ddiwrnod da am chwarae. Nawr bod Juanita ddim o gwmpas 'roedd rhaid i Sali ddod o hyd i rywun arall i chwarae gyda. Drwy gornel ei llygad, gwelodd yr haul yn pelydru ar rywbeth oedd yn edrych fel creadur hir, tonnog yn dod tuag ati. Edrychai yn hardd iawn ac 'roedd yn creu tonnau yng ngherrynt y môr. 'Doedd Sali erioed wedi gweld y creadur yma o'r blaen ond fel yr oedd yn dod yn nes, meddyliodd bod rhywbeth yn gyfarwydd amdano. Teimlai y dylai wybod beth oedd e, ond ni wyddai pam. Edrychai mor hardd. Fel y daeth yn nes, meddyliodd Sali ei fod yn edrych yn adnabyddus.

Gwelodd y creadur Sali a gofynnodd iddi ymuno gydag e. Esboniodd y creadur nad un creadur oedd e ond nifer o greaduriaid unigol yn union fel Sali. Gyda'i gilydd bydden yn gallu ymuno â'i gilydd i ffurfio cadwyn.

The creature at the end of the line, the one that was talking to Sally, was called Sarah. Sarah explained that each of the creatures had their own name.

Sally was normally very shy, but this looked wonderful. She wanted to be part of the chain. She looked across at Great Aunt Nellie, who nodded and smiled at her.

This was such a great chance to join in with these strange yet familiar new friends. Sarah could see that Sally didn't know how to join in, so she showed Sally how to join the chain, and off they went.

Sally discovered that as part of the merry chain, she now had a ready-made group of friends. She could speak to all the others by just thinking. They could all act as one.

Sara oedd enw y creadur ar ddiwedd y gadwyn a hi oedd yn siarad â Sali. Esboniodd Sara bod gan bob creadur unigol ei enw ei hunan.

Fel arfer 'roedd Sali yn swil, ond roedd hyn yn ardderchog. 'Roedd am fod yn rhan o'r gadwyn. Edrychodd ar Hen Fodryb Neli a gwenodd hithau gan nodio arni.

'Roedd hwn yn gyfle mor wych i ymuno â'r ffrindiau rhyfedd ond adnabyddus yma. Sylweddolodd Sara nad oedd Sali yn yn gwybod sut i ymuno mewn, felly dangosodd sut iddi a ffwrdd â nhw.

Darganfyddodd Sali ei bod, fel rhan o'r gadwyn hapus, wedi gwneud grŵp newydd o ffrindiau. Gallai siarad â'r lleill drwy feddwl yn unig. Gallent i gyd fod fel un.

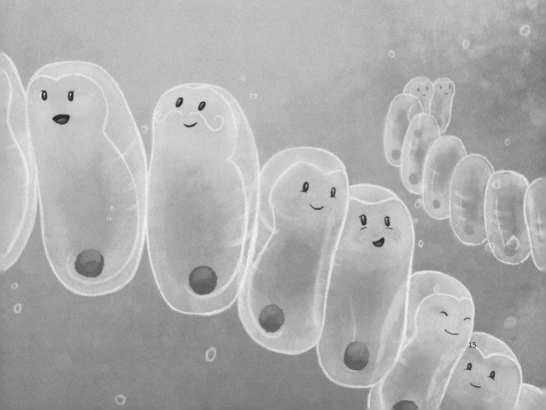

15

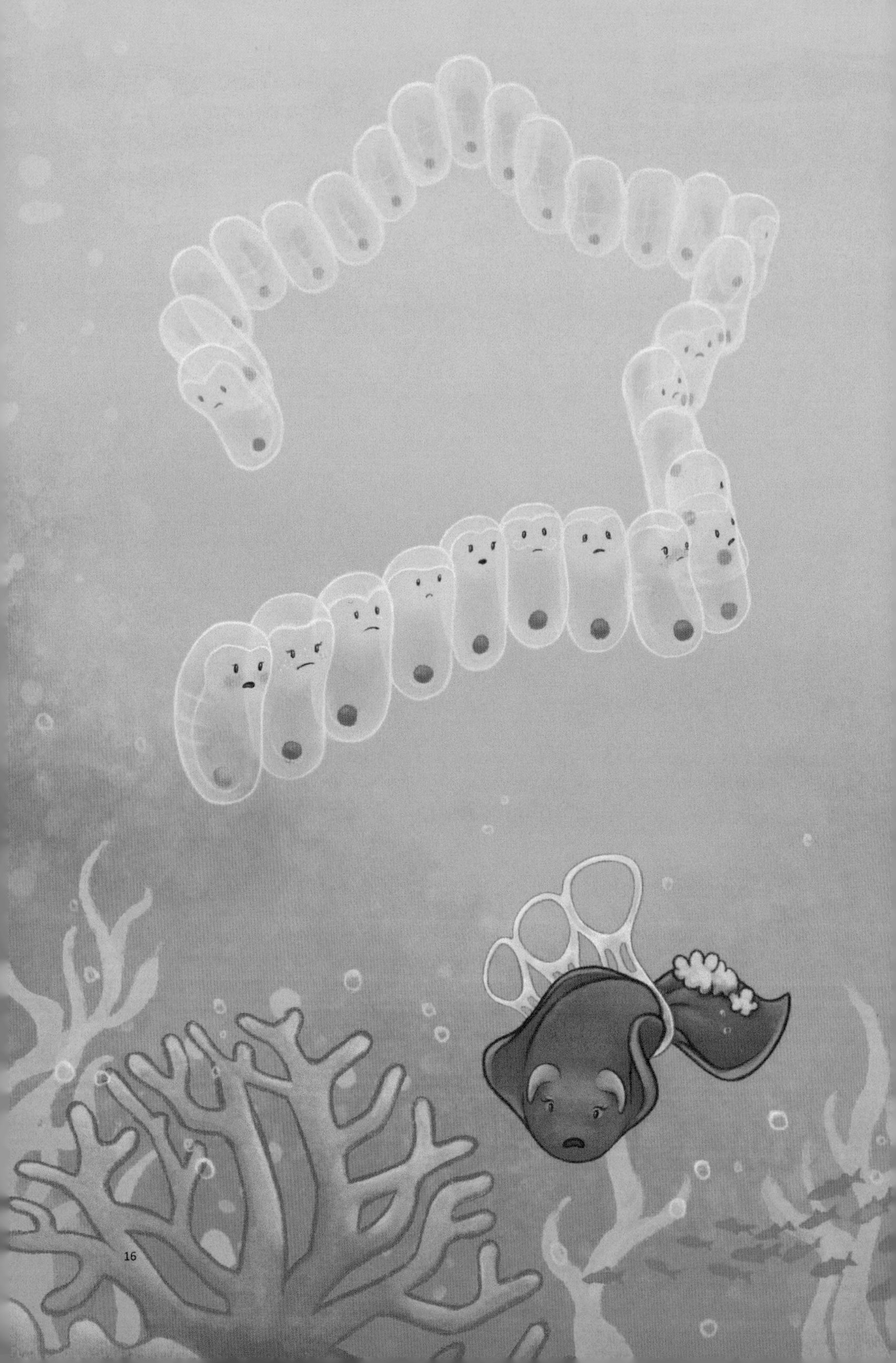

Much to Sally's surprise, she learned that these creatures were called Salps—and she was one of them!

Sally loved this new experience. Although she had no arms and no legs, indeed no fine fins or swishy tail, Sally felt that she had a wonderful and very special talent.

One day, soon after this, Sally was swimming in the sea with her new friends. They were trying to see what different shapes they could make with the chain.

Nearby, she saw a flash of familiar red. It was Juanita! But something seemed very strange about the way she was moving.

As Juanita got closer, Sally and her friends could see that there was something around Juanita's body that made it difficult for her to dance.

Er mawr syndod i Sali, dysgodd mai Salps oedd y creaduriaid hyn – ac 'roedd hi yn un ohonyn nhw!

'Roedd Sali wrth ei bodd gyda'r profiad newydd yma. Er nad oedd ganddi freichiau na choesau, ac mewn gwirionedd dim esgyll braf na chynffon swish, teimlai Sali bod ganddi dalent arbennig ac ardderchog.

Un diwrnod, chwap ar ôl hyn, 'roedd Sali yn nofio yn y môr gyda'i ffrindiau newydd. Roedden yn ceisio gweld pa wahanol siapiau y bydden yn gallu eu creu gyda'r gadwyn.

Gwelodd fflach o rywbeth coch, adnabyddus. Juanita! Ond 'roedd rhywbeth yn rhyfedd iawn yn y modd 'roedd yn symud.

Fel y daeth yn nes, gallai Sali a'i ffrindiau weld bod rhywbeth o gwmpas corff Juanita oedd yn gwneud dawnsio yn anodd iddi.

Sally called over to her, "Oh no, Juanita! Are you stuck? What can we do to help you?"

Juanita replied, "I saw this pretty decoration and wanted to put it on. Now, I can't take it off. Please can you help me?"

Sally and her friends put their minds to work. Each of them on their own could not do anything to help, but together they could give it a good try.

They thought and thought, trying out different shapes.

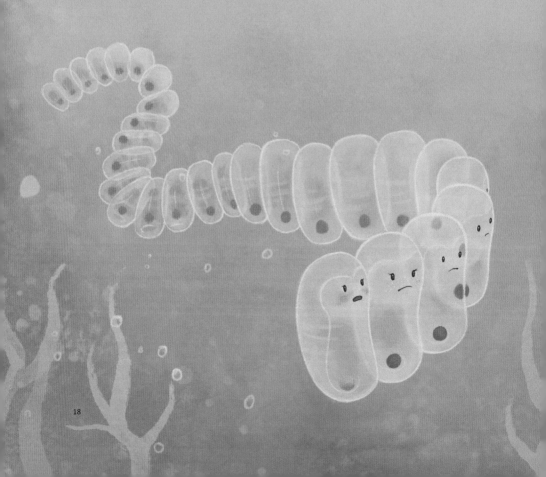

Galwodd Sali arni, "O na, Juanita! Wyt ti'n sownd? Beth allwn ni wneud i dy helpu?"

Atebodd Juanita, "Gwelais y mwclis hardd yma ac roeddwn am ei wisgo. Nawr 'rwy'n methu â'i dynnu i ffwrdd. Plîs helpwch fi."

Dechreuodd Sali a'i ffrindiau roi eu meddyliau ar waith. Ni fedrai un ohonyn nhw wneud dim ar ei ben ei hun ond gyda'i gilydd gallent wneud rhywbeth.

Meddylion a meddylion, gan arbrofi gyda gwahanol siâpiau.

Then, they all remembered a special shape that they could make to try to blow the necklace of plastic off Juanita. Sally was on one end, and she let the others make a spiral around her.

They all blew... but all they got was bubbles.

That wasn't enough, so they each drew in as much water as they could. Then, they counted to three... 1... 2... 3! And they blew together as hard as they could towards Juanita.

All this water just blew Juanita away, so Sally thought to the others, "What if Juanita holds on to a piece of coral and we try again?"

So they asked Juanita to hold on while Sally and her friends counted... 1... 2... 3! And they blew again.

"HURRAY!" they all said together.

The plastic had been blown away from Juanita, and she was free to dance again.

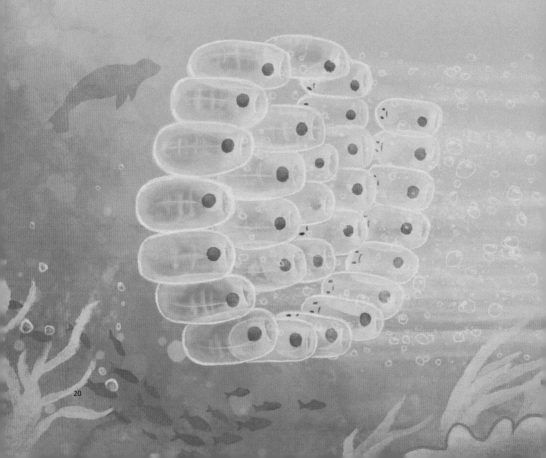

Yna fe gofion nhw am siâp arbennig y medren nhw wneud i geisio chwythu y mwclis blastig oddi ar Juanita. 'Roedd Sali ar un pen tra 'roedd y lleill yn creu troell o'i chwmpas.

Chwython nhw i gyd...ond y cyfan a ddigwyddodd oedd swigod.

'Doedd hyn ddim yn ddigon, felly dyma nhw yn tynnu gymaint o ddŵr i fewn ag y medren nhw gan gyfrif i dri............1...2...3. Yna chwython gyda'u holl nerth i gyfeiriad Juanita.

Y cyfan wnaeth yr holl ddŵr hyn oedd chwythu Juanita i ffwrdd, felly anfonodd Sali ei meddyliau at y lleill. "Beth os y gwnaiff Juanita ddal ymlaen i ddarn o gorawl ac fe rown dro arall arni?"

Felly dyma nhw yn gofyn i Juanita i ddal ymlaen tra bod Sali a'i ffrindiau yn cyfri...1...2...3! Chwython nhw eto.

"HWRE!" medden nhw gyda'i gilydd.

'Roedd y plastig wedi chwythu i ffwrdd oddi ar Juanita ac 'roedd yn rhydd i ddawnsio eto.

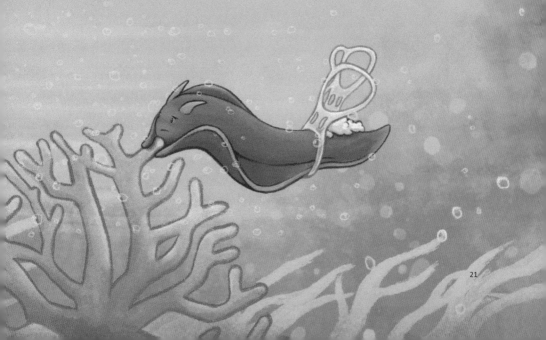

A nearby Seal had been watching curiously as there were so many bubbles.

It picked up the plastic in its mouth and swam towards the nearby beach.

While the Salps and Juanita were celebrating, a young boy called David was out on the beach. He was walking with his sister, Anna. David stopped suddenly, making Anna bump into him. Before Anna could say anything, David pointed at a Seal coming out of the sea with some plastic in its mouth.

The Seal carried on walking towards the surprised children. It placed the plastic gently at David's feet and looked at the children with its large black eyes.

'Roedd morlo wedi bod yn gwylio gyda chwilfrydedd oherwydd bod cymaint o swigod. Cododd y plastig yn ei geg a nofiodd at y traeth cyfagos.

Tra bod Juanita a'i ffrindiau yn dathlu, 'roedd bachgen ifanc o'r enw Dafydd allan ar y traeth.

'Roedd yn cerdded ar y traeth gyda'i chwaer, Anna. Stopiodd Dafydd yn sydyn, nes bod Anna yn bwrw mewn iddo. Cyn bod Anna yn gallu dweud dim, pwyntiodd Dafydd at Forlo yn dod allan o'r môr gyda darn o blastig yn ei geg.

Cariodd y Morlo ymlaen i gerdded tuag at y plant. Rhoddodd y plastig yn ofalus wrth draed Dafydd ac edrychodd ar y plant gyda'i lygaid mawr duon.

They were so amazed that they couldn't say anything. The Seal stayed with them for a while. It looked first at David and then at Anna, trying to make them understand what it wanted.

When it was satisfied, the Seal turned around and went back to the sea.

David quietly picked up the piece of plastic and took it to the bin in the car park. He turned around to see that the Seal's head was sticking above the waves and looking at him.

He wasn't sure, but had the Seal winked at him before disappearing under the waves?

Roedden wedi eu syfrdanu gymaint ni allai yr un ohonyn nhw ddweud dim...Arhosodd y morlo gyda'r plant am ychydig. Edrychodd ar Dafydd yn gyntaf ac yna ar Anna gan geisio eu cael i ddeall beth oedd e eisiau.

Pan oedd yn fodlon eu bod wedi deall, trodd y morlo o gwmpas ac aeth 'nôl i'r môr.

Cododd Dafydd y darn o blasting a'i roi mewn bin yn y maes parcio. Trodd o gwmpas i weld pen y morlo uwchben y tonnau yn edrych arno.

'Doedd Dafydd ddim yn siwr, ond tybed a oedd y morlo wedi rhoi winc iddo cyn iddo ddiflannu o dan y tonnau?

To see and hear the full Narration and the Music that goes with this story in English, please click on this QR Code. It is a link to the YouTube video.

KEVIN RH. JOHN

I weld a chlywed yr holl Naratif a'r Gerddoriaeth sy'n cydredeg gyda'r stori yn y Gymraeg, cliciwch ar y Côd QR yma. Mae'n cysylltu â fidio YouTube.

27

Here is some more information about the stars of our story. These are all creatures that really do live in the sea:

Sally and the Salps

In my story, Sally is a salp: a colourless creature that looks like a jelly bean. During the younger stages of their lives, salps and sea squirts both appear as small, colourless jelly beans. However, salps continue to float in the water throughout their lives, while sea squirts settle on the sea floor. Salps have a slightly tougher skin than sea squirts. They can be found in most of the seas around the world.

Salps are also known as sea grapes. They move by contracting and pumping water through their bodies. This is thought to be the most efficient example of jet propulsion in the animal kingdom.

Salps normally develop into long strings by cloning themselves or adding other salps to their string of individuals.

Salps are very common throughout equatorial, temperate and cold seas. They are normally around ten centimetres long. Some of them can grow up to three metres long—imagine how big a chain of them is!

Salps eat tiny phytoplankton, and they are important to Earth's carbon levels, as their bodies sink to the bottom of the sea when they die, taking carbon from their food with them.

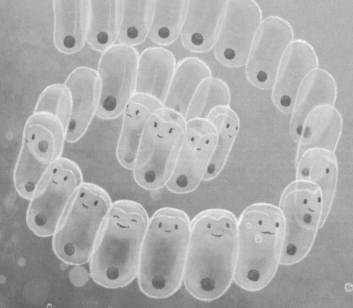

Dyma ychydig o wybodaeth am sêr ein stori. Dyma'r creaduriaid sy'n byw go iawn yn y môr:

Sali a'r Salpiaid

Yn fy stori, Salp yw Sali: creadur di-liw sy'n edrych fel ffeuen jeli. Yn ystod cyfnodau cynnar eu bywydau mae salpiaid a chwistrellau môr yn ymddangos fel ffa jeli di-liw. Mae salpiaid yn parhau i arnofio yn y dŵr drwy gydol eu bywydau, tra bod chwistrellau môr yn setlo ar wely'r môr. Mae gan y salpiaid groen ychydig mwy gwydn na chwistrellau môr. Gellir eu darganfod yn y rhan fwyaf o foroedd y byd.

Enw arall ar y salpiaid yw salpiaid grawnwin. Maent yn symud drwy gywasgu a phwmpio dŵr drwy eu cyrff. Ystyrir mai hyn yw'r esiampl mwyaf effeithiol o wthiant jet yn nheyrnas yr anifeiliaid.

Mae salpiaid, fel arfer yn datblygu i fod yn linynnau hir drwy glonio ei hunain neu ychwanegu salpiaid eraill i'w llinyn o unigolion.

Mae Salpiaid yn gyffredin mewn moroedd oer, tymheraidd a chyhydeddol. Fel arfer maent tua 10cm mewn hyd. Gall rhai ohonyn nhw dyfu hyd at dair metr – dychmygwch mor hir yw cadwyn ohonyn nhw!

Mae salpiaid yn bwydo ar fflytoplancton bychain ac maent yn bwysig i lefelau carbon Y Ddaear gan fod eu cyrff yn suddo i waelod y môr pan maent yn marw, gan gario y carbon o'u bwyd gyda nhw.

Juanita, the Spanish Dancer

As strange as it sounds, a Spanish Dancer is a real sea creature. Although they can crawl over rocks and coral on the sea floor, they can also move by contracting and undulating their bodies in a way that looks like a flamenco dancer swishing her dress.

Spanish Dancers are part of an order of sea creatures called Nudibranchs, also known as Sea Slugs, although they look nothing like the slugs we see in our gardens.

They can often grow up to 60 centimetres in length.

Juanita, y Ddawnswraig Sbaenaidd

Mae dawnsiwr Sbaenaidd, er yn swnio'n rhyfedd,yn greadur môr go iawn. Er ei bod yn medru cropian dros greigiau a chorawl ar wely y môr, gall hefyd symud drwy gywasgu a thonni eu cyrff mewn dull sy'n debyg i symudiad dawnswraig fflamenco yn chwifio ei ffrog nôl ac ymlaen.

Mae Dawnswyr Sbaenaidd yn rhan o urdd o greaduriaid môr a elwir yn Nudibranchs neu Wlithod Môr. Serch hynny nid ydynt yn edrych ddim byd yn debyg i'r gwlithod yn ein gerddi.

Gallant dyfu hyd at 60 centimetr mewn hyd.

Great Aunt Nellie and Sea Squirts

Sea squirts start their lives floating around the sea at the mercy of the different currents. Unlike salps, who spend their whole lives floating around, sea squirts attach themselves to rocks, corals and man-made docks as they get a little older. Sometimes sea squirts can become attached to ships and be carried around the world.

Sea squirts are found in seas all over the world. They are small, soft-bodied creatures that come in a large variety of shapes and sizes.

Hen Fodryb Neli a Chwistrellau Môr

Mae chwistrellod môr yn dechrau eu bywydau yn arnofio yn y môr ar drugaredd gwahanol gerrynt. Yn anhebyg i'r salpiaid, sy'n treulio eu bywyd yn arnofio o gwmpas, mae chwistrellod môr yn glynu i greigiau, corawl a dociau o waith dyn fel y maent yn heneiddio. O dro i dro gall chwistrellod môr lynu i longau a chael eu cario o gwmpas y byd.

Gellir dod o hyd i chwistrellod môr mewn moroedd o gwmpas y byd. Maent yn greaduriaid bach gyda chyrff meddal o bob siâp a maint.

The Seal

Seals are very fast and graceful while they swim in the seas around our shores. However, when they are on the land, they move in a clumsy way, lolloping along over rocks and beaches.

Seals are normally very shy of human beings, and if you see one on the beach or on rocks, you should never approach them. They can give quite a bite.

Y Morlo

Mae morloi yn gyflym iawn ac yn osgeiddig pan yn nofio yn y moroedd o gwmpas ein harfordir. Serch hynny pan fyddant ar y tir, maent yn symud yn afrosgo iawn, yn ffit-ffatio dros greigiau a thraethau.

Fel arfer mae morloi yn swil ac yn osgoi pobl ac os welwch un ar y traeth ni ddylech fyth fynd yn agos ato. Maent yn gallu rhoi brathiad go gas.

Here are all the people that helped bring this story to you to enjoy:

Dyma'r holl bobl sydd wedi helpu cyflwyno'r stori yma i chi i'w mwynhau:

Welsh Translation and Narration: / Cyfieithiad Cymraeg ac Adroddwraig:
Gill Lloyd

Artwork: / Darlunio:
Heather May Williams, Munchkinmay

Flute Player for "Juanita": / Ffliwtydd ar gyfer "Juanita":
Liz John

Horn Player for the "Jazzy Seal": / Chwarewr Corn ar gyfer y "Morlo Jasaidd":
Frederike Schroeder-Rossell

Violins, Violas and Ukulele: / Ffidil, Fiola a'r Iwcalili:
Kevin Rh. John

Studio Production: / Gynhyrchiad Stiwdio:
Kevin Rh. John

English Narration: / droddwr Saesneg:
Kevin Rh. John

Publishing Support: / Cefnogaeth Cyhoeddi:
Rowanvale Books

Kevin Rh. John:
Author and Composer.

Born in 1960, I have lived the vast majority of my life in Wales, and currently live in Cardiff.

I made an attempt at retirement in 2022, only to find myself teaching basic ukulele at a local primary school and working a few hours per week on a project with a Cardiff charity, working with people with disabilities.

Throughout my life, music has been a constant. This is why these stories have been created, to bring music to children at a time that is so important to their development. My own musical upbringing has led to a huge number of opportunities: playing viola in the Albert Hall for Schools' Proms, and in various prestigious concert halls in Europe. Singing with various choirs has taken me all over Europe, as well as to Buckingham Palace and to Swaziland (now Eswatini), where I sang in front of the king at that time, and his six wives!

Actually writing a book came as a surprise, so to find that I have now finished my second and have a third on the go, it's all very peculiar! I hope you enjoy reading and listening to the story of *Sally and the Spanish Dancer*.

Kevin Rh. John:
Awdur a Chyfansoddwr

Fe'm ganwyd yn 1960, ac 'rwy' wedi byw y rhan fwyaf o'm mywyd yng Nghymru ac yng Nghaerdydd ar hyn o bryd.

Yn 1988 roeddwn yn was sifil gyda beth a elwir heddiw yn Adran Gwaith a Phensiwn. Rhoddais dro ar ymddeol yn 2022 ond y peth nesaf 'roeddwn yn rhoi gwersi iwcalili sylfaenol mewn Ysgol Gynradd leol yn ogystal â gweithio rhai oriau yn wythnosol i'r Ymddiriedolaeth Gyfeillgar yng Nghaerdydd ar brosiect yn ymwneud â phobl gydag anableddau.

Mae cerddoriaeth wedi chwarae rhan bwysig drwy gydol fy mywyd. Dyna'r rheswm dros greu y storïau yma, er mwyn cyflwyno plant i gerddoriaeth ar adeg mor bwysig yn eu datblygiad. Mae fy magwraeth gerddorol wedi arwain at nifer fawr o gyfleoedd fel chwarae'r fiola yn y Prom ar gyfer ysgolion yn Neuadd Albert ac mewn nifer o neuaddau cyngerdd enwog yn Ewrop, yn ogystal â Phalas Buckingham ac yn Swaziland (Eswantini erbyn hyn) pan ganais o flaen y brenin a'i chwe gwraig!

Syndod a dweud y gwir yw fy mod wedi ysgrifennu llyfr, a fy mod, erbyn hyn, wedi gorffen fy ail lyfr a'r trydydd ar y gweill. Mae'r cyfan yn ryfeddol!

'Rwy'n gobeithio y gwnewch fwynhau darllen a gwrando ar stori Sali a'r Ddawnswraig Sbaenaidd.

Heather May Williams (Munchkinmay):
Illustrator / Darlunydd

I'm a Welsh illustrator from Cardiff. Drawing has been something I have enjoyed for as long as I can remember. The majority of my inspiration comes from my love for nature.

Since I was a child I've always had a fascination with rock pools and wildlife found on the coast, and I'm delighted to share this through my artwork. I hope it will spark enthusiasm to preserve natural habitats for generations to come.

Sally and the Spanish Dancer is the fifth book that I have had the pleasure of illustrating. I hope you enjoy looking at all of the pictures and learning about some of the incredible creatures that live in the ocean.

To see more of my work, visit www.munchkinmay.co.uk

'Rwy'n ddarlunydd Cymraeg o Gaerdydd. Mae darlunio yn rhywbeth rwy' wedi mwynhau ei wneud erioed. Daw y mwyafrif o 'm hysbrydoliaeth o fy nhariad at fyd natur.

Ers yn blentyn 'rwy' wedi fy nghyfareddu gyda phyllau creigiau a bywyd gwyllt o gwmpas yr arfordir, ac 'rwy' wrth fy modd yn rhannu hyn drwy fy ngwaith darlunio. Gobeithio y gwnaiff ysbrydoli awydd i ddiogelu cynefinoedd naturiol am genedlaethau i ddod.

Sali a'r Ddawnswraig Sbaenaidd yw'r pumed llyfr i m gael y pleser o'i ddarlunio. Gobeithio y gwnewch fwynhau edrych ar y lluniau a dysgu am rai o'r creaduriaid anhygoel sy'n byw yn y môr.

Gill Lloyd:
Welsh Translator

I was born and bred in Llangrannog, West Wales. I now live in the Vale of Glamorgan.

I have taught in Welsh-language schools and have narrated, adapted and translated children's literature both in English and Welsh.

I have sung and presented stories on children's live Television.

I am now retired and enjoy my hobbies of singing, reading, walking and yoga.

Ces fy nheni a'm magu yn Llangrannog yng Ngorllewin Cymru ac yn byw ym Mro Morgannwg ers blynyddoedd lawer.

Cefais yrfa o ddysgu mewn ysgolion Cymraeg eu hiaith ac 'rwy' wedi cyflwyno,addasu a chyfieithu llenyddiaeth plant yn y Saesneg a'r Gymraeg.

'Rwy' wedi canu a chyflwyno storïau ar deledu byw.

Bellach 'rwy' wedi ymddeol ac yn mwynhau fy niddordebau o ganu,cerdded ac ioga.

Books produced so far:

Llyfrau a gynhyrchwyd hyd yn hyn:

Jinny the Dreamy Giraffe / Jini y Jiráff Fach Freuddwydiol
Sally and the Spanish Dancer / Sali a'r Ddawnswraig Sbaenaidd

My next book will be / Fy llyfr nesaf fydd:

Being G (in English only)

Publisher Information

Rowanvale Books provides publishing services to independent authors, writers and poets all over the globe. We deliver a personal, honest and efficient service that allows authors to see their work published, while remaining in control of the process and retaining their creativity. By making publishing services available to authors in a cost-effective and ethical way, we at Rowanvale Books hope to ensure that the local, national and international community benefits from a steady stream of good quality literature.

For more information about us, our authors or our publications, please get in touch.

www.rowanvalebooks.com
info@rowanvalebooks.com

Printed in Great Britain
by Amazon

41943277R00025